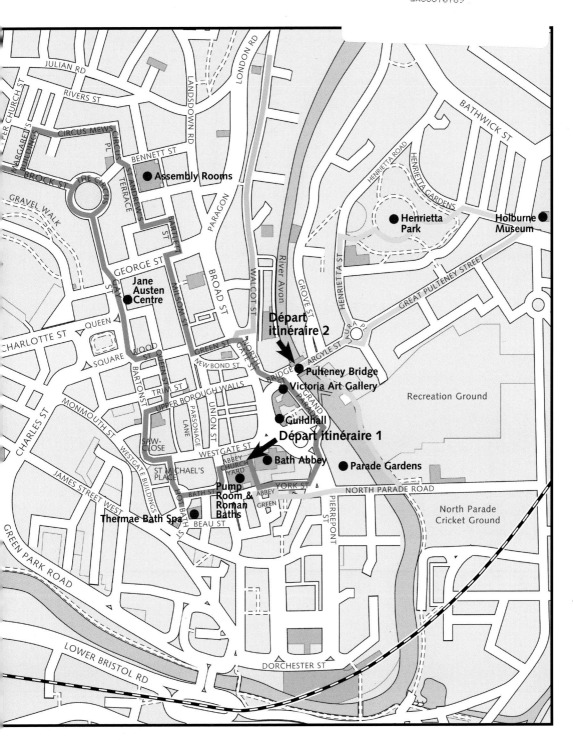

Bienvenue à Bath

Ils vinrent, ils virent – et ils furent conquis ! Les Romains arrivèrent dans cette vallée verdoyante il y a près de 2 000 ans et, captivés par la source miraculeuse et intarissable d'eau chaude, y restèrent quatre siècles. Les vestiges soigneusement restaurés de leur complexe extraordinaire de bains et de temples, qui reste le centre historique et social de Bath, attirent chaque année des centaines de milliers de visiteurs. Le beau monde venait à Bath prendre les eaux. De nous jours, depuis l'ouverture d'une nouvelle station thermale, à proximité des anciens thermes romains, on peut de nouveau se baigner dans les eaux minérales naturelles. Bath offre bien d'autres choses encore : magasins chics, restaurants, musées et un centre animé où le passé historique éclaire le présent séduisant.

Aperçu historique

L'histoire du prince lépreux Bladud, qui découvrit les propriétés cicatrisantes de l'eau minérale de Bath en 863 av. J.-C., est peut-être une légende, mais cette vallée était déjà habitée à l'âge de la pierre et du bronze. Les Celtes s'y établirent ensuite. En l'an 43, les Romains arrivèrent puis commencèrent la construction de leur grand temple et complexe thermal. Après l'abandon du pouvoir par les Romains, en 410, vinrent les Saxons, auxquels Bath doit son nom. En 973, Edgar, premier roi d'Angleterre, y fut couronné.

La construction d'une cathédrale médiévale majestueuse fut commencée au début du XIIe siècle par l'évêque John de Villula, qui ordonna aussi la construction de nouveaux bains au-dessus de la source, les thermes romains ayant disparu depuis longtemps. Ce grand édifice roman, achevé en 1166, finit par tomber en ruines et les bains se détériorèrent. En 1499, l'évêque Oliver King, fondateur de l'abbaye actuelle, fut incité par une vision à faire restaurer l'église. La construction, interrompue par Henri VIII 40 ans plus tard, fut relancée sous Élisabeth Ire. L'abbaye actuelle fut achevée en 1617.

La reine Anne, qui visita Bath en 1702-1703, encouragea les investissements dans les thermes. Richard « Beau » Nash, arrivé en 1703, établit l'ordre social, tandis que pendant les années 1720s l'architecte John Wood et l'entrepreneur Ralph Allen ont commencé à construire une ville splendide, de style palladien. La salle des fêtes de la ville haute fut inaugurée en 1771 et la buvette thermale actuelle en 1795. Arrivée en 1801, Jane Austen, à la plume souvent caustique, évoque Bath de manière saisissante dans *Northanger Abbey* et *Persuasion*.

La mode a changeait, mais le déclin de tourisme accusé au XIXe siècle a été renversé quand les thermes romains, ont été découverts et restaurés en 1880. Si les deux Guerres mondiales firent des ravages, à la fin du XXe siècle Bath avait retrouvé son attrait international. Devenue Site du patrimoine mondial en 1987, Bath a millions de visiteurs.

Abbey Church Yard

De cette grande place, on accède à l'abbaye, aux thermes romains, à la buvette thermale, aux magasins et aux restaurants. De Stall Street, passez sous l'élégante colonnade pour voir clairement la façade ouest de l'abbaye. Ici, les artistes de rue abondent. Au début du XVIIIe siècle, l'auteur et commentateur social Daniel Defoe décrivit ce quartier avec désapprobation comme « lieu de jeu et de légèreté ». Le bâtiment élancé de style palladien, qui abrite la boutique du National Trust, fut jadis la résidence du maréchal George Wade, commandant de l'armée et ancien député de Bath.

Bath Abbey

L'église paroissiale de Bath, surnommée « lanterne de l'ouest » pour son intérieur inondé de lumière, n'est abbaye que de nom. Elle perdit son statut après la dissolution des monastères par Henri VIII, en 1539. Élisabeth Iʳᵉ en ordonna la restauration et l'église actuelle, avec sa merveilleuse voûte en éventail réalisée par les frères Robert et William Vertue, fut enfin achevée en 1611. Elle devint alors l'église paroissiale de Bath.

Le vitrail d'Edgar

Devenu premier roi de toute l'Angleterre, Edgar choisit de se faire couronner dans la petite abbaye saxonne qui se trouvait à cet endroit.

Le vitrail d'Edgar

Musicien des rues à Abbey Church Yard

Le vitrail d'Edgar, sur le mur est de l'abbaye, commémore son couronnement à la Pentecôte 973. La cérémonie actuelle du couronnement est basée sur ce premier office, célébré il y a plus de 1 000 ans. La tombe située dans la nef est celle de James Montague, évêque de Bath et de Wells (1608–16).

La façade ouest

Les anges sculptés montant et descendant des échelles, entre ciel et terre, ainsi que les deux oliviers, représentent la vision de l'évêque Oliver King qui, en 1499, les aurait vus en songe. Il considéra l'olivier comme un signe que lui, Oliver, recevait la mission de restaurer l'abbaye, la cathédrale romane étant tombée en ruines. Les travaux commencèrent, mais furent interrompus 40 ans plus tard par Henri VIII. Les statues de part et d'autre

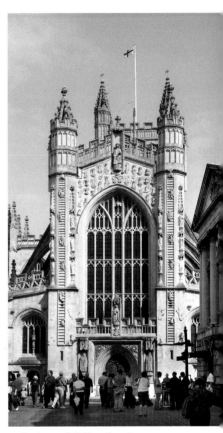

La façade ouest de l'abbaye de Bath

du porche représentent saint Pierre et saint Paul, auxquels l'abbaye est dédiée.

Mémoriaux

L'Abbaye est célèbre pour ses monuments et plaques murales. Dans la nef sud est la sépulture de Beau Nash, qui contribua à la creation de la réputation de la ville comme une station thermale au XVIIIe siècle. La chapelle de St Alphege commémore l'abbé de Bath le plus célèbre, qui devint Archevêque de Canterbury et fut martyrisé dans la première partie du XIVe siècle. La statue par Lawrence Tindall, de la résurrection du Christ, est près de la porte sud-est.

Anges sculptés sur l'abbaye

Pump Room

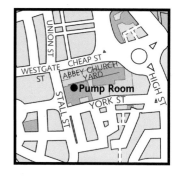

« L'eau est ce qu'il y a de mieux » dit l'inscription (en grec) au-dessus du fronton, mais peut-être en douterez-vous après avoir goûté l'eau sulfureuse ! En 1706, le beau monde de Bath venait ici tous les jours prendre les eaux et papoter. L'élégante pièce actuelle, qui donne sur le Great Bath, fut inaugurée en 1795. Vous pouvez aujourd'hui vous y restaurer en écoutant le Pump Room Trio ou le pianiste résident.

La buvette thermale

Beau Nash

La statue d'un bel homme domine la buvette thermale. Elle représente Richard « Beau » Nash, devenu joueur professionnel après avoir abandonné l'armée et le droit. Il arriva à Bath en 1703 et entreprit de changer la structure sociale de la ville. La reine Anne avait déjà reconnu les propriétés curatives de l'eau de source. Nash, devenu maître des cérémonies à Bath, décréta comment les curistes devaient se comporter et se vêtir. Il interdit les épées et les duels et transforma la petite ville désordonnée en un lieu sûr et civilisé où la population mondaine se retrouvait pour se divertir.

L'eau minérale

On peut goûter l'eau minérale célèbre de Bath dans la buvette thermale, et à la fontaine tout près pour un somme modique. Autrefois, on dirait que l'eau pouvait guérir un nombre surprenant d'affections: la goutte, le rhumatisme, les paralysie, l'asthme, les convulsions, la gale, la jaunisse, l'infertilité – et bien d'autres encore.

Les thermes

Les Romains ne furent pas les premiers à découvrir les sources chaudes bouillonnantes, mais ils surent les exploiter. Les Celtes avaient déjà choisi la source comme lieu sacré dédié à leur déesse Sulis, avant l'invasion des Romains il y a 2 000 ans. Après les hostilités initiales, la paix fut établie ; les nouveaux venus construisirent des thermes et un temple où Romains et Celtes pouvaient pratiquer leurs rites religieux et vénérer Sulis Minerve, divinité unifiant Sulis et Minerve, la déesse romaine de la sagesse et de la guérison.

Les thermes romains

Écoulement libre

Chaque jour plus d'un million de litres d'eau naturelle chaude (environ 46 °C), émergent en bouillonnant de trois sources riches en minéraux situées au centre de Bath. Cette eau tomba sous forme de précipitations sur les Mendip Hills il y a 10 000 d'années.

Les bains Skilled inventive

Ferrés en ingénierie, les Romains canalisèrent l'eau de source sans difficulté vers un énorme réservoir en pierre, revêtu de plomb, qui alimentait les bains. Le trop-plein, encore visible, achemine le surplus d'eau vers la rivière Avon. On construisit trois bassins, chacun plus froid que le précédent, où les baigneurs se rassemblaient pour nager, parler affaires, jouer de l'argent ou se divertir. Deux « bains turcs », chauffés par-dessous, permettaient d'éliminer les impuretés de la peau.

Les thermes

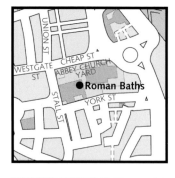

Temple de Sulis Minerve

L'impressionnant temple romain, soutenu par quatre énormes colonnes, fut construit dans une cour ouverte. Au centre du fronton, un visage redoutable, alliant les traits d'un dieu aquatique et d'une gorgone, lançait des regards menaçants, tandis qu'à l'intérieur, la statue en bronze doré de la gracieuse déesse Sulis Minerve baignait dans la lumière d'une flamme perpétuelle. De nombreuses offrandes votives (bijoux, pièces de monnaie ou prières griffonnées sur du plomb) étaient jetées dans l'eau à l'attention de la déesse.

King's Bath

Après le départ des Romains, les bains s'envasèrent et le temple, ainsi que le complexe thermal, tombèrent dans l'oubli. Toutefois, ayant entendu parler des propriétés curatives de l'eau, un évêque du XIe siècle, John de Villula, fit construire un nouveau bassin, le King's Bath, au-dessus du réservoir romain, en réutilisant la pierre déjà en place. Ces bains étaient

Great Bath

destinés aux malades, mais les historiens relatent des scènes indécentes de baignade nue et de paillardise sous les huées des spectateurs, faisant du King's Bath un lieu inconvenant.

L'époque des rois George

Au XVIIIe siècle, venir prendre les eaux à Bath était très en vogue. Un bain le matin, une visite à la buvette thermale pour se forcer à boire un verre d'eau minérale, un petit déjeuner en société, puis un café ou quelques emplettes, suivis du déjeuner, puis d'une promenade et, enfin, d'une sieste, avant de se rendre à la salle des fêtes (dans la ville haute ou la ville basse), ou d'aller au théâtre, à un bal ou aux salles de jeu.

Tête de gorgone

Circular Bath

Sulis Minerve

Les Romains

Dans le temple courtyard vous pouvez voir la tête ravissante de la déesse romaine Sulis Minerve, que l'on vénérait au temple romain. De nombreux autres objets, sculptures, mosaïques et vestiges romains sont affichés à proximité, révélant la vie à Aquae Sulis – colonie qui se développa autour des thermes romains et du temple.

Guérison miraculeuse

D'après la légende, le prince lépreux Bladud, chassé de son royaume et contraint de garder des porcs en raison de sa maladie, fut le premier à découvrir les propriétés curatives des sources. Il s'aperçut que les plaies de ses cochons disparaissaient lorsqu'ils se vautraient dans l'eau et il fit de même. Sa lèpre guérit, il recouvrit son royaume et engendra le roi Lear. Du moins c'est ce que l'on raconte.

Thermae Bath Spa

L'écoulement incessant d'eau minérale chaude provient de trois sources naturelles : Hetling Spring, Cross Spring et King's Spring. Ceci est le seul endroit en Grande-Bretagne où on peut se bagner dans les eaux thermales. Une subvention accordée à l'occasion du millénaire permit de restaurer les anciens bâtiments de Hetling Court qui crée un bâtiment contemporaine qui contraste avec les environs géorgians, qui abritent aujourd'hui la nouvelle station thermale avec une piscine à ciel ouvert.

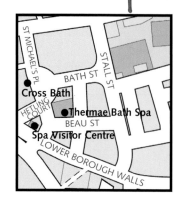

Hetling Court

Bath Street, dotée d'élégantes colonnades, mène au quartier restauré de Hetling Court – un endroit des plus agréables qui soient. Le Thermae Bath Spa en verre et en pierre, qui reçut un accueil élogieux, allie les magnifiques bains historiques restaurés, dont Cross Bath et Hot Bath, et des thermes modernes, des saunas, ainsi que des salles de massage et de soins.

Le Thermae Bath Spa

La piscine à ciel ouvert

Hot Bath

Ces bains, qui datent du XVIIIe siècle, sont l'œuvre de John Wood le Jeune. Le grand architecte s'émerveillerait sans doute devant les nouveaux soins étonnants offerts ici aujourd'hui. Vous pouvez choisir, entre le watsu (massage aquatique), l'enveloppement corporel, ou le kraxen stove – thérapie utilisant du foin alpin.

Spa Visitor Centre

La buvette thermale Hetling offre des expositions gratuites présentant l'histoire des sources chaudes de Bath et un guide audio excellent.

Cross Bath

Aujourd'hui restauré, le Cross Bath occupe un bâtiment classé et indépendant. À l'époque romaine, on y vénérait des divinités, tout comme au Hot Bath.

David Garrick

Sawclose

Sawclose abrite le charmant théâtre royal. Les vielles rues de ce quartier de Bath, pleines de charme et riches en histoire, valent la peine d'être explorées.

Theatre Royal

Le théâtre est coincé entre le Garrick's Head, pub portant le nom de David Garrick, acteur et idole du XVIIIe, et un restaurant. Le théâtre est réputé le plus hanté du pays. La Dame en gris erre autour des loges, laissant flotter un fort parfum de jasmin, tandis que le Portier n'apparaît qu'aux acteurs. Et, à en croire la légende, si vous voyez un papillon mort, gare aux ennuis qui vous attendent !

Trim Bridge

Le porche de Trim Street est souvent appelé Trim Bridge. Le véritable pont, aujourd'hui enfoui, permettait jadis de traverser le fossé de la ville. Le porche, St John's Gate, mène à Queen Street, rue pavée abritant pubs et boutiques insolites.

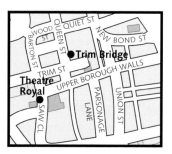

Le théâtre royal

Un homme silencieux

L'architecte John Wood dessina une grande partie de Bath, y compris les rues qui mènent à Queen Square, son premier grand projet. Souhaitant vivement que les plus petites rues aient un nom, il interrompit une réunion de la corporation et exigea des suggestions. « Quiet, John Wood! » (Silence, John Wood !) s'écria impatiemment le président. Wood, inclinant la tête, sortit et commanda trois nouvelles pierres sculptées : Quiet Street, John Street et Wood Street.

Queen Square

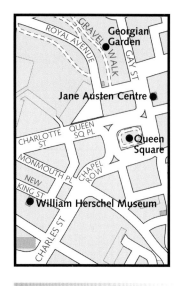

John Wood, charpentier et architecte passionné par la gloire de Rome, arriva à Bath en 1727, résolu à reconstruire la ville dans le style de l'architecte italien, Andrea Palladio. Il commença par le majestueux Queen Square. Ce fut l'un des premiers espaces de style classique unifié en Grande-Bretagne.

Queen Square

La place fut baptisée en hommage à Caroline, épouse de George II. L'obélisque au centre des jardins commémore une visite de Frédéric, prince de Galles. Derrière les façades palladiennes de splendeur palatiale, au nord, se trouvent sept résidences – dont une jadis occupée par John Wood. Une plaque en bronze identifie le 41 Gay Street, face à Queen Square. C'est là qu'habitait le fils de Wood, aussi appelé John, qui poursuivit l'œuvre de son père.

L'entrepreneur

L'arrivée de John Wood à Bath coïncida avec l'acquisition par Ralph Allen, entrepreneur local, de la carrière voisine de Combe Down, d'où l'on extrayait le calcaire doré utilisé pour les nouveaux bâtiments. Allen, qui s'était enrichi en réorganisant le système postal, investit son argent dans la reconstruction ambitieuse de Bath – et fit de nouveau fortune.

Queen Square

Le Centre Jane Austen

The Jane Austen Centre

De tous les écrivains qui vécurent à Bath, aucun n'est plus connu que Jane Austen. Le Centre Jane Austen, sur Gay Street, près d'où Jane vécut à une époque, relate l'histoire complète de sa vie à Bath. Ayant visité la ville deux fois et y ayant résidé cinq ans, de 1801 à 1806, Jane connaissait parfaitement la ville, dont elle comprenait si bien les habitants et la vie sociale. Ses observations n'étaient pas toujours flatteuses, celle-ci attaquant de façon détournée le snobisme et la prétention dont elle était témoin.

Gravel Walk et Georgian Garden

De Queen Square, un sentier ombragé mène directement à Royal Crescent. C'est un endroit où l'on aurait bien pu se promener à l'époque des rois George. De Gravel Walk, on peut accéder à de petits jardins recréés dans l'esprit de 1760. Endroit paisible et doté de plantes de l'époque des rois George, où l'on peut s'asseoir, il est ouvert tous les jours.

Jardins classiques

William Herschel Museum

« J'ai exploré l'espace plus que tout être humain avant moi. » déclara Herschel, qui habitait à New King Street avec sa sœur Caroline, elle aussi éminente astronome et musicienne de talent. C'est d'ici que les Herschel découvrirent la planète Uranus en 1781.

Gravel Walk

Les romans sur Bath

Les héroïnes des deux romans de Jane Austen se déroulant à Bath, Catherine Morland (Northanger Abbey) et Anne Elliot (Persuasion), fréquentèrent les mêmes rues et contemplèrent les mêmes bâtiments que ceux que vous visitez aujourd'hui.

The Circus et Royal Crescent

L'ensemble remarquable et grandiose en haut de Gay Street est le Circus, de John Wood l'Ancien. Le cercle parfait que forment les maisons s'inspirait des cercles de pierre préhistoriques qui le fascinaient et imitait le Colisée de Rome. Tout près, le long de Brock Street, se trouve Royal Crescent, de Wood le Jeune, d'où l'on a une vue panoramique sur la ville.

The Circus

Après avoir réalisé Queen Square, North et South Parade, et bien d'autres quartiers de Bath, John Wood regroupa tous ses éléments préférés dans son chef-d'œuvre, ces trois rangées incurvées de 33 maisons formant un cercle. L'ordre classique est représenté par les trois rangs de doubles colonnes : doriques au niveau de la rue, ioniques au milieu et corinthiennes en haut. Les glands sculptés ornant les parapets évoqueraient la légende du prince Bladud et de ses porcs (voir page 9). Les frises sculptées représentent les réalisations de l'époque et comportent des symboles maçonniques. Wood mourut en 1754, juste après le démarrage des travaux, laissant à son fils la tâche de terminer le Circus.

Le Circus

Glands ornant le Circus

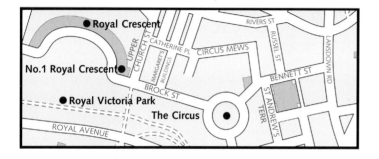

Royal Crescent

Dès l'achèvement du Circus, en 1766, on entama les travaux sur le splendide Royal Crescent de John Wood le Jeune : 30 maisons mitoyennes reliées de manière spectaculaire par des colonnes ioniques géantes et donnant, au-delà des champs, sur les collines surplombant la vallée de l'Avon. La pelouse des maisons reste séparée du parc par un saut-de-loup – fossé empêchant l'entrée d'animaux et de personnes non autorisées.

1 Royal Crescent

Cette résidence, achevée en 1769, fut louée à Thomas Brock (qui donna son nom à Brock Street). Restaurée par le Bath Preservation Trust, elle abrite aujourd'hui un musée montrant les intérieurs somptueux typiques des maisons de l'époque des rois George.

Royal Victoria Park

Le parc fut nommé en l'honneur la reine Victoria, qui aurait détesté Bath au point d'ordonner que l'on baissât les stores de son compartiment lorsqu'elle traversait Bath en train. Cet espace vert de 23 hectares, très fréquenté, comprend un jardin botanique et une aire de jeux. C'est de là que partent les vols réguliers en montgolfière.

1 Royal Crescent

Royal Crescent

La ville haute

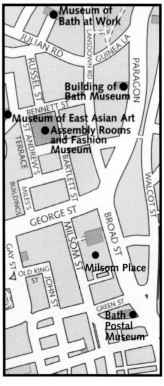

Cette partie de la ville comprend Bennett Street – rue devenue chic après l'inauguration en 1771 de la salle des fêtes, œuvre de Wood le Jeune – Bartlett Street et Milsom Street. Des porte-lampes et des éteignoirs coniques, servant jadis à éteindre les torches utilisées sur les chaises à porteurs, sont fixés à certaines des maisons.

Le musée des arts de l'Asie orientale

Museum of East Asian Art

Ce musée est un trésor d'art chinois, mongolien, coréen, japonais et tibétain remontant à 5000 av. J.-C. Il occupe quatre salles d'un bâtiment de l'époque des rois George, dans Bennett Street.

Assembly Rooms et Fashion Museum

On vendit douze cents billets d'une demi-guinée (couvrant l'entrée d'un gentleman et de deux dames) lors du grand ridotto marquant l'inauguration de cette élégante salle des fêtes, où les invités venaient danser, écouter de la musique, jouer aux cartes, bavarder et boire le thé. De nombreuses manifestations y sont encore organisées aujourd'hui. Au sous-sol se trouve un musée, qui renferme une collection extraordinaire et mondialement connue retraçant la mode du XVIe siècle à nos jours.

La salle des fêtes

Building of Bath Museum

La chapelle gothique saisissante de la comtesse de Huntingdon renferme une exposition sur le passage de la station thermale provinciale à la splendeur de l'époque des rois George. Elle retrace l'élaboration des plans de John Wood et montre exactement comment les maisons furent construites et décorées.

Museum of Bath at Work

À quelques pas de là, sur Julian Road, allez voir le travail de M. Bowler, ingénieur, fondeur de cuivre, installateur de cloches et d'appareils à gaz, serrurier et fabricant de boissons gazeuses. Son entreprise familiale, qui dura 97 ans, est reconstituée ici anciènnement un vieux court de tennis.

Le Royal Mineral Water Hospital, Old Bond Street

Bath Olivers

Les biscuits « Bath Oliver » furent inventés au XVIIIe siècle par le Dr William Oliver, du Royal Mineral Water Hospital, comme antidote aux mets indigestes. Cet hôpital se spécialise aujourd'hui dans les maladies rhumatismales et les Bath Oliver restent très prisés.

Milsom Street

La principale rue commerçante de Bath offre de splendides vitrines, dont celle de Jolly's, grand magasin ouvert par James Jolly en 1831. En bas de Milsom Street se trouve un entrelacs de ruelles regorgeant de petites boutiques et de cafés.

Milsom Place

Milsom Place

C'est ici, entre Milsom Street et Broad Street, que Walter Wiltshire, jadis maire de la ville, hébergeait ses chevaux. On y trouve aujourd'hui des magasins et des cafés sur deux niveaux.

Bath Postal Museum

Près d'où fut envoyée la première lettre affranchie du monde (portant un « Penny-black »), cet excellent musée de Green Street retrace l'histoire de la correspondance et du courrier de l'antiquité à nos jours. Une section est consacrée à Ralph Allen, qui réforma la poste britannique et participa à la reconstruction de Bath.

Museum of Bath at Work

Walcot Street

À quelques pas des principales rues commerçantes se trouve un quartier beaucoup plus paisible, limité d'un côté par une colline pentue et laissant apercevoir de l'autre la large rivière Avon. Surnommé « le quartier des artisans », Walcot Street a toujours été un endroit original. Aujourd'hui, cette rue tortueuse abrite de petites boutiques, souvent excentriques, très fréquentées.

Bath Aqua Theatre of Glass

Vous pourrez observer ici l'art du verre soufflé bouche et du vitrail, dans un cadre spectaculaire. S'inspirant du verre romain et du verre bleu de Bristol, les pièces réalisées ici sont aussi fascinantes qu'instructives. On y souffle le verre tous les jours et les enfants y trouveront de quoi s'occuper.

St Swithin's Church

C'est dans l'église de Walcot, la seule à Bath de l'époque des rois George, que se maria le révérend George Austen, père de Jane. Il y fut enterré en 1805. Fanny Burney, romancière, chroniqueuse et dramaturge, qui habitait Bath, y est aussi enterrée. Il se peut que la culte Chrétienne se pratique sur la site depuis l'époque romaine. La première église fut construite peu après 971 ap. J.-C. Les fondations de cette église Saxonne se trouvent sous le plancher de la crypte.

Le centre du verre Bath Aqua

Walcot Street

Un quartier inconnu

Les habitants et les commerçants de Walcot Street se considèrent comme une nation à part. En effet, la rue entière fut jadis oubliée par les cartographes lors de la réalisation d'un nouveau plan de Bath. Walcot Street organise chaque année une fête de rue pour commémorer cette erreur.

Grand Parade et Guildhall

C'est sur les larges trottoirs de Grand Parade et des North et South Parades, de John Wood, que les gens chics de Bath se promenaient. Ils contemplaient la rivière, partaient en bateau ou s'asseyaient dans les jardins.

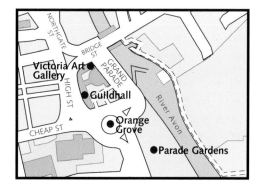

Victoria Art Gallery

Les collections du 1er étage comprennent des œuvres de Sickert et Gainsborough qui ont tous les deux habité à Bath, et Turner, qui a resté ici. Le rez-de-chaussée abrite les meilleures expositions tournantes de la région. La statue de la reine Victoria, à l'extérieur, fut donnée par les femmes de Bath lors de l'inauguration du musée en 1900.

Guildhall

L'hôtel de ville fut construit pour les grandes manifestations. On peut y visiter la magnifique salle de banquet, avec sa tribune des musiciens, ses lustres et ses cheminées très ornées, et la belle salle d'Aix-en-Provence à côté de ça.

Orange Grove

Ce lieu a été entouré d'arbres, doté en son centre d'un obélisque donné par Beau Nash. Il fut construit pour marquer la guérison par les eaux du prince d'Orange, en 1734. C'était alors une place fermée, bordée de magasins et de cafés.

Parade Gardens

Ici, vous pourrez vous reposer dans un transat rayé et admirer le kiosque ainsi que les parterres de fleurs parfaitement entretenus. L'Avon longe les jardins, qui offrent de belles vues sur le pont Pulteney et le barrage.

Le musée d'art Victoria

Parade Gardens

Pulteney Bridge et Bathwick

Dans la deuxième moitié du XVIIIe siècle, Frances Pulteney hérita du grand domaine de Bathwick, s'étendant sur 240 hectares à l'est de Bath, de l'autre côté de la rivière. Le projet d'y construire un quartier vert néoclassique, prévu par son mari, fut interrompu par la guerre d'Indépendance américaine et le déclenchement de la guerre avec la France, mais seulement après la construction de Pulteney Bridge, de Great Pulteney Street et des jardins fréquentés par Jane Austen. Vous remarquerez Henrietta Street et Laura Place, baptisées en l'honneur de leur fille, Henrietta Laura, qui hérita du domaine et devint Comtesse de Bath.

Pulteney Bridge

Ce pont palladien bordé de magasins, restauré suivant les plans originaux de Robert Adams, était essentiel au projet d'aménagement envisagé par la famille Pulteney de l'autre côté de la rivière. Adams avait manifestement à l'esprit le Ponte Vecchio et le Rialto italiens lorsqu'il dessina ce pont, achevé fin 1773. Il supporte Argyle Street, qui franchit l'Avon pour accéder à un cadre jadis purement rural.

Le pont Pulteney

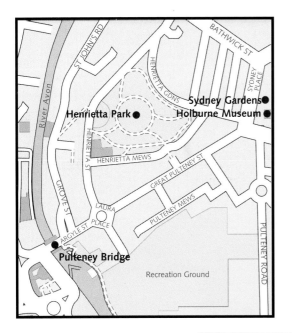

Le musée d'art Holburne

Henrietta Park

Ce parc, constitué de 2 hectares de sentiers sinueux et de vieux arbres, renferme un jardin du souvenir avec bassin et pergola, donné en 1936 par la ville de Bath en mémoire du roi George V.

Holburne Museum of Art

Ce bâtiment abritait jadis le sompteux hôtel Sydney, point de convergence au bout de Great Pulteney Street. Il serait intéressant de savoir ce que Jane Austen, fine observatrice, pensait des va-et-vient dans ce lieu chic, qui se trouvait en face de sa résidence familiale, à Sydney Place. Maintenant la Musée Holburne, qui est souvent appellée une des grandes petites musées de Grande-Bretagne avec les œuvres de Gainsborough, Guardi, Stubbs et Turner, a été fermé pendant qu'elle est remise à neuf avec les additions.

Le jardin du souvenir à Henrietta Park

Sydney Gardens

Nous savons que Jane Austen aimait beaucoup ces jardins situés au bout de Great Pulteney Street. Leur labyrinthe et leurs allées sinueuses lui permettaient d'échapper aux bavardages insignifiants et ennuyeux de la classe mondaine. On y organisait alors des galas musicaux (qu'elle détestait) et des feux d'artifice. Les jardins, agrémentés de passerelles franchissant le canal du Kennett et de l'Avon, ainsi que d'une réplique du temple romain de Sulis Minerve, restent tout aussi agréables.

La jeune héritière

Parmi les nombreux trésors du musée Holburne se trouve un portrait mémorable de la jeune Henrietta Laura Pulteney, peint par Angelica Kauffman en 1777. Vêtue d'une robe blanche, elle porte un panier rempli de fruits fraîchement cueillis.

Great Pulteney Street

Pendant près de 15 ans, le pont ambitieux de William Pulteney sur l'Avon ne menait qu'à la petite exploitation de Bathwick, à un moulin et à des jardins, auxquels on ne pouvait accéder que par bac. Les travaux commencèrent en 1787 et, bien que l'aménagement élégant envisagé par l'architecte Thomas Baldwin ne fût jamais réalisé, le grand boulevard qu'est Great Pulteney Street attira les admirateurs au-delà de la rivière.

Great Pulteney Street

Cette voie splendide de 33 mètres de large et de 370 mètres de long est bordée, de part et d'autre, de maisons hautes de l'époque des rois George. Parfaitement droite, elle mène, d'un côté, à l'ancien Sydney Hotel (aujourd'hui le musée Holburne) et à Sydney Gardens et, de l'autre, à Laura Place. L'architecte Thomas Baldwin l'avait conçue comme artère principale de son projet de construction ambitieux, qui se volatilisa en raison de ses difficultés financières après l'achèvement de la rue, en 1789. De nombreuses personnes éminentes y logèrent ou y séjournèrent, notamment Napoléon III, Louis XVIII et William Wilberforce, qui abolit la traite des esclaves en Grande-Bretagne.

Laura Place

Argyle Street, Great Pulteney Street, Henrietta Street et Johnstone Street convergent à ce « rond-point » bordé d'arbres, doté en son centre d'une fontaine. Admirez la rare boîte aux lettres victorienne Penfold de 1866, qui porte le nom de son inventeur, J.W. Penfold. Vous en trouverez une autre dans Great Pulteney Street.

Pulteney Weir

Quelques marches à l'entrée du pont mènent à la rivière. De la terrasse, on a une belle vue du barrage submersible, qui actionnait jadis des moulins à blé et à foulon. En raison d'inondations récurrentes, le barrage fut reconstruit en 1971. Sa nouvelle forme ovale en fait aujourd'hui une grande attraction.

Great Pulteney Street

Boîte aux lettres Penfold

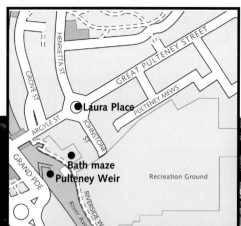

Promenade au bord de l'eau

Les visiteurs et les habitants aiment se promener le long de ce sentier qui offre une belle vue sur l'abbaye et Parade Gardens, en face. D'ici vous pouvez embarquer pour une excursion en bateau ou vous asseoir sur un banc pour contempler la rivière.

La rive près de North Parade

Bath maze

Les enfants adorent ce labyrinthe, construit en 1984, qui occupe presque entièrement les Beazer Gardens, près du barrage. Ses allées sinueuses dessinent des formes s'inspirant des imposes des bâtiments de la ville ainsi que du barrage. En son centre se trouve une mosaïque dépeignant la « tête de gorgone » de Sulis Minerve.

Le labyrinthe de Bath

North Parade

L'architecte John Wood l'Ancien, passionné par l'architecture de la Rome antique, voulait doter Bath d'un « forum », lieu de convergence bordé de bâtiments splendides, chacun avec des gradins surplombant la partie centrale. North Parade, South Parade, Pierrepont Street et Duke Street, construites sur les fondations jadis marécageuses des jardins de l'abbaye, furent réalisées avant la restriction du projet et l'abandon du forum central.

Une fontaine de Terrace Walk

North Parade

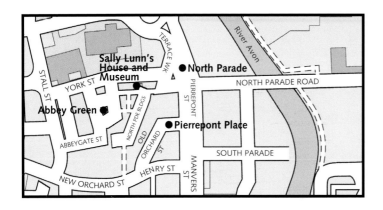

North Parade

Le large trottoir de cette rue du XVIIIe siècle, achevé dans les années 1740, fut conçu afin que les dames puissent se promener, admirer le Bath mondain et y être admirées. La rue franchit l'Avon et des escaliers mènent à un sentier longeant la rivière. Tout près se trouvent Terrace Walk et Orange Grove, jadis centre arboré du Bath piétonnier, qui offrait de nombreux sentiers agréables, dont Parade Gardens, clos récemment.

Pierrepont Place

La famille Linley, très talentueuse, habitait au no 1, près du porche dorique (plaque en bronze sur le mur), avant d'emménager à Royal Crescent. Thomas Linley, claveciniste qui organisait des concerts à Bath, avait trois enfants : Thomas, violoniste et ami de Mozart, Mary et Elizabeth, qui auraient eu toutes deux des voix d'ange. Le jeune Thomas trouva la mort à 22 ans dans un accident de canotage et Elizabeth, d'une grande beauté, fit une fugue avec le dramaturge en herbe Richard Sheridan.

Musée Sally Lunn

Sally Lunn's House and Museum

Personne ne sait exactement qui était Sally Lunn, mais la brioche riche qui porte son nom est très prisée des visiteurs. Dans le petit musée aménagé au sous-sol dans North Parade Passage sont exposés des objets remontant à l'époque romaine.

Abbey Green

Avant la transformation de Bath à l'époque des rois George, l'ancien monastère Saint-Pierre, du XIIe siècle, occupait environ un quart de la ville alors fortifiée. Un endroit semble en conserver l'atmosphère paisible : Abbey Green, en retrait, au sud des thermes romains et du quartier principal de l'abbaye, et ombragé par un énorme platane. Le porche en pierre se trouve à l'emplacement du portail de l'ancienne abbaye.

Ralph Allen

Ralph Allen, ancien postier, receveur des postes et entrepreneur qui, avec les Wood (père et fils), participa à la construction de Bath, habitait une splendide maison dans York Street. Elle ne se visite pas, mais vous pouvez voir les jardins aménagés de son manoir, Prior Park, à la sortie de la ville. Commencés en 1734 avec l'aide d'Alexander Pope, puis de Capability Brown, les jardins sont agrémentés d'un pont palladien, de trois lacs (dont le Serpentine), d'une cascade et d'un temple gothique. Cette demeure, aujourd'hui établissement scolaire mixte qui ne se visite pas, est l'œuvre de John Wood.

Sculpture sur un mur de York Street

Informations

Calendrier des manifestations

Vous trouverez à l'office du tourisme (voir page 27) des informations complètes et à jour sur toutes les manifestations de la ville.

Montgolfières au Royal Victoria Park

Fevrier/mars/avril

Festival international de littérature
Semi-marathon de Bath
Festival de Shakespeare unplugged
Festival de comedie de Bath
Concours hippique de Badminton
Festival de Mid-Somerset

Mai/juin

Festival international de musique de Bath
Festival fringe de Bath
Foire-exposition de Bath et de la région ouest
Festival de danse de Bath
Festival des fleurs de printemps de Bath
Glastonbury Festival

Juillet/août

Festival international de guitare de Bath
Visite aux flambeaux des thermes romains
WOMAD
Festival de concours Britannique

Septembre/octobre

Festival Jane Austen
Festival de littérature des enfants
Quinzaine gastronomique de Bath
Festival du film de Bath

Novembre/décembre

Festival Mozart de Bath
Le Noël régence de Jane Austen, Centre Jane Austen
Noël à Claverton, Musée américain de la Grande-Bretagne
Marché de Noël de Bath, Kingston Parade/Abbey Green
Les chants de Noël à la lueur de bougie

Claverton Manor

Claverton Manor, qui se trouve juste à la sortie de Bath, abrite le célèbre musée américain. Vous y trouverez la plus belle collection d'art américain en dehors des États-Unis, ainsi qu'une exposition instructive sur l'histoire coloniale. L'exposition annuelle « Noël à Claverton » montre comment les premiers colons fêtaient Noël.

Musées

Musée américain et jardins +44 (0)1225 460503,
www.americanmuseum.org ;
Bath Aqua Glass +44 (0)1225 319606, www.bathaquaglass.com ;
Musée de la poste de Bath +44 (0)1225 460333,
www.bathpostalmuseum.org ;
Musée de la construction de Bath +44 (0)1225 333895,
www.bath-preservation-trust.org.uk ;
Musée de la mode +44 (0)1225 477789,
www.fashionmuseum.co.uk ;
Musée Herschel +44 (0)1225 446865,
www.bath-preservation-trust.org.uk ;
Musée Holburne +44 (0)1225 388569, www.bath.ac.uk/holburne ;
Centre Jane Austen +44 (0)1225 443000, www.janeausten.co.uk ;
Musée Bath au travail +44 (0)1225 318348,
www.bath-at-work.org.uk ;
Musée des arts de l'Asie orientale +44 (0)1225 464640,
www.meaa.org.uk ;
1 Royal Crescent +44 (0)1225 428126,
www.bath-preservation-trust.org.uk ;
Thermes romains +44 (0)1225 4777785, www.romanbaths.co.uk ;
Musée Sally Lunn +44 (0)1225 461634, www.sallylunns.co.uk ;
Thermae Bath Spa +44 (0) 844 888 0844,
www.thermaebathspa.com/spafacilities/spavisitorcentre ;
Musée d'art Victoria +44 (0)1225 477233, www.victoriagal.org.uk

Visites et excursions

Pour plus de renseignements sur les visites et excursions sui-
vantes, et bien d'autres encore, prière de s'adresser à l'office du
tourisme ou de consulter le site Internet www.visitbath.co.uk.

Visites pédestres gratuites régulières : départ devant la buvette
thermale, dans Abbey Church Yard. Elles comprennent des visites guidées Blue Badge, un itinéraire Jane Austen, des visites du
Bath hanté et une visite du Bath insolite.

Pour les visites pédestres privées, consulter le site Internet www.
visitbath.co.uk/site/things-to-do/tours-and-sightseeing.

Promenades en bateau : départs réguliers de Pulteney Weir, de
Broad Quay et de Sydney Wharf pour des excursions sur l'Avon
et le canal du Kennet et de l'Avon.

Visites de la ville en bus et excursions en car pour la visite de
sites touristiques à Bath et dans les environs.

Des vols en montgolfière partent tous les jours du Royal Victoria
Park pendant l'été.

i **Office du tourisme
de Bath**

Abbey Chambers,
Bath BA1 1LY
Tél. : +44 (0)906 711 2000 (les
appels coûtent 50p la minute)
Site Web : www.visitbath.co.uk

Shopmobility
Prêt de fauteuils roulants
électriques et de scooters
électriques aux personnes à
mobilité réduite.
4 Railway Street
Pour réserver, appeler le :
+44 (0)1225 481744

Les thermes romains la nuit

En juillet et août, les
thermes romains sont
ouverts jusqu'à 22h00 pour
que les visiteurs puissent
les admirer à la lumière des
flambeaux.

Première page de couverture :
Les thermes romains
Dernière page de couverture :
Musée Sally Lunn

Remerciements :

Photographies de Neil
Jinkerson © Pitkin Publishing.
Photographies supplémentaires
avec l'aimable permission de :
Alamy: 6bl (Chris George), 10
(Adrian Sherratt), 17tr (Amoret
Tanner); Bath Industrial Heritage
Centre: 17; Bath & NE Somerset
Council: 16cb; Bridgeman Art
Library: 21cr; John Curtis: 11
both; Pitkin Publishing: 4, 7cr,
8 main, 9 all; Provincial Pictures:
2/3, 21tr, 24b, 25c, 26 both,
BC; Museum of East Asian Art:
16cl; Roman Baths, Bath & NE
Somerset Council: FC.
Les éditeurs souhaitent
remercier Jan Hull et Maeve
Hamilton Hercod (Sulis Guides
Ltd), Pat Dunlop, Maggie Bone
et Stephen Clews (Bath et North
East Somerset Council) pour
leur aide lors de la préparation
de ce guide.
Rédigé par Annie Bullen ;
l'auteur a déclaré ses droits
légaux.
Révisé par Angela Royston.
Mise en page de Simon
Borrough.
Recherche iconographique
supplémentaire de Jan Kean.
Plan de la ville/des parkings-relais
de The Map Studio, Romsey,
Hants, Royaume-Uni; cartes des
itinéraires pédestres de Simon
Borrough ; plans basés sur car-
tographie de © George Philip Ltd.
Traduit par Françoise Barber
pour First Edition Translations Ltd.,
Cambridge, Royaume-Uni.
Publié sous cette forme par ©
Pitkin Publishing 2007, dernière
réimpression 2014.

Toutes les informations sont
correctes au moment de la
mise sous presse mais peuvent
changer.

Imprimé en Grand-Bretagne.
ISBN 978-1-84165-205-4   6/14

GUIDE DE VILLE PITKIN

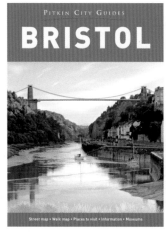
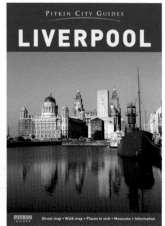

Ce guide fait partie d'une série de guides de ville
Disponible par correspondance
Veuillez consulter notre site Web : **www.thehistorypress.co.uk**,
pour la liste complète des titres disponibles, ou bien nous
contacter pour un exemplaire de notre catalogue.

Pitkin Publishing, The History Press, The Mill, Brimscombe
Port, Stroud, Gloucestershire, GL5 2QG, Royaume-Uni
Ventes et renseignements : +44 (0)1453 883300
Fax : +44 (0)1453 883233
Email : sales@thehistorypress.co.uk